KB103771

그저 끄적 공들임 (그끄공)

그저 끄적 공들임 (그끄공)

발 행 | 2024년 03월 04일
저 자 | 김민정(김꼬물)
펴낸이 | 한건희
펴낸곳 | 주식회사 부크크
출판사등록 | 2014.07.15.(제2014-16호)
주 소 | 서울특별시 금천구 가산디지털1로 119 SK트윈타워 A동 305호
전 화 | 1670-8316
이메일 | info@bookk.co.kr

ISBN | 979-11-410-7457-9

www.bookk.co.kr

그저 끄적 공들임

김민정 (김꼬물) 지음

CONTENT 차례

감상에 앞서, 책을 한 번에 다 읽으셔도 좋습니다만,
개인적으로
잠에 드시기 전 1~5편을 읽는 정도도 추천 드립니다..!

(Ep.001)

[추억]

그렇게 이야기의 결말에 향해간다.
나는 여전히 나이고,
기억 속 그 역시 여전히 그이다.

이야기가 끝으로 다가갈수록
기억 속 그와는 멀어져 간다.

나는 여전히 나이고,
기억 속 그 역시 여전히 그이다.
비록 아쉽게 멀어져 가지만
여전히 그로 존재하니까 괜찮다.

(Ep.002)

[바다]

저벅저벅
그는 걸었다.

쏴아아아
그는 소릴 들었다.

촤아아아
그는 알았다.
그리고 도착했다.

바다에

목표를 이루다!

(Ep.003)

[좀] # 한 글자로 바뀌는 말의 느낌

부탁 좀 할게요.
부탁 좀 합니다.
부탁 좀 드립니다.
부탁 좀 드려요.

부탁할게요.
부탁합니다.
부탁드립니다.
부탁드려요.

(Ep.004)

[가늘고 길게] # have to와 must 사이

너무 과하지 않을 것.
너무 부족하지 않을 것.

너무 나쁘지 않을 것.
너무 착하지 않을 것.

너무 똑똑하지 않을 것.
너무 멍청하지 않을 것.

이 모든 것을 티 내지 않을 것.

(Ep.005)

[스노드롭의 계절] # 1월1일

나는 나의 계절을 찾고 있는 꽃이야.

너는 여름이구나. 매력 있는 계절이야.
사람들이 좋아할 것 같구나.
그렇지만 나에겐 너무 덥구나.

너는 가을이구나. 멋진 분위기의 계절이야.
사람들이 좋아할 것 같구나.
그렇지만 내가 낙엽에 묻히고 말겠구나.

너는 봄이구나. 새로움 가득한 계절이야.
사람들이 좋아할 것 같구나.
그렇지만 너는 내가 다녀간 후에 와 주렴

너는 겨울이구나. 눈이 내리는 하늘이라니
신비로운 계절이야. 사람들이 좋아할 것 같구나.
모두 잠에, 들 테니 이제 내가 피어날 때야.

(Ep.006)

[상처]

세상을 살다 보니 문뜩 궁금해졌어.

세상에는 이 사람 저 사람이 있어.
그들은 각자의 삶을 가지고 있지.
그렇다면 삶 말고도,
세상 모두가 받게 되고 받는 것은
없을까 생각했어.

처음 찾은 것은 사랑이었는데,
그렇지 않더라고.

그런데 말이야.
두 번째로 찾은 것은 참이라고 확신해.

상처는 없었어. 안 받는 사람이.

그게 슬퍼, 없던
입까지 생겨버림.

(Ep.007)

[아침 잎사귀] # 갓생 # 자존감

아침 햇살 하나면 잠에서 깨어 눈을 뜨는
나는 부지런하다

아침 공간에 분위기라는 것을 더해주는
나는 감각도 있다

아침이면 햇살 한 잔 마시는
나는 아침 잎사귀란다.

(Ep.008)

[당연한 감정]

슬플 때 슬프면 안 되고
기쁠 때 기쁘면 안 된다.

그렇지 않으면,
누군가가 너를 싫어할 테지.

아니 그런데 말이다,
그런 이유로
너를 싫어할 사람이,
너를 좋아하게 만들기 위해
네가 애써야 할까?

누군가가 너를 싫어할까 봐 라는
그런 이유로
당연한 감정을 잃지는 맙시다.

(Ep.009)

[성공의 꿈]

자정이 지날 무렵,
달빛이 유리창을 지나와 인사를 건네고,

잠에, 들락 말락 정신 피곤하지만,
잠을 청하지 않고 반짝 눈을 뜬다.

푹신한 이불을 고향 품에 끌어안고
밤하늘을 보는 나는 그 시간에 물들어간다.

언젠가 성공해 저기 저 별처럼
빛을 비춰줄 수 있는 존재가 되리라고.

(Ep.010)

[전화]

상대방으로부터
애인이냐,
질문받는 순간.

"여보세요?"

(Ep.011)

[폭력]

수백 개의 호기심 담긴
응원들이 눈앞을 스쳐 지날 때,
그는 너무 순식간에 지나가 버리기에
제대로 알아보기 힘듭니다.

아직 안 죽었어?

한 개의 화살이 심장을 뚫고 지나갈 때,
그는 속도와 무관하기에
사람은 죽고 맙니다.

(Ep.012)

[리더]

벼랑 끝에서 떨어지고 싶을 때여도
그렇지 못하게 되고,

어딘가를 향해 전속력으로
도망치고 싶지만 그렇지 못하게 되며,

어쩌면 내 것만 많이 갖고 싶지만,
내 것을 나누게 되는

팀을 위한 일이 나를 위한 일과 같아지는 것.

(Ep.013)

[보스]

벼랑 끝에서 떨어지고 싶을 때라면
때때로 그렇게 하고,

어딘가를 향해 전속력으로
도망치고 싶다면 그렇게 해보게 되며,

어쩌면 네 것도 많이 갖고 싶지만,
내 것을 나누진 않는

나를 위한 일이 팀을 위한 일과 같아지는 것.

(Ep.014)

[연]

세상을 우연으로 이뤘고,
우연은 인연을 가져오리다.

인연 중 몇은
사실 순간이었으며,

인연 중 몇이
진짜 운명이 될 것이라.
그리고 그중 제일이 있다면
그는 필연일 것이야.

그리고 이건 방패연이오.

(Ep.015)

[사별]

아주 멀리 있는 것
그래서 마치
나에겐 오지 않을 것만 같은 그런 것

사실 가깝게 있는 것
호시탐탐 기회만 노릴
언젠가 누군가에게 찾아올 불청객

스스로 찾아오기 전에,
차라리 내가 초대할걸

그렇지만 불청객이 남긴 것들의
아픔을 너무나 잘 알아서
이러지도 저러지도 못해.

(Ep.016)

[이루고 싶은 토끼] # 목표 그리고 꿈

왜 그렇게 두 마리의 토끼를
한 번에 잡으려고만 하는가?

어떤 토끼는 더 늦게 잡히고,
어떤 토끼는 저 일찍 잡힐 테고,

또 어떤 토끼는 스스로 오게 될 텐데 말이야.

(Ep.017)

[금]

아무리 비싼 값을 불렀어도
팔지 않았음에 후회하지 않고

다행스러움을 느끼게 하는 금이
지금 말고 또 있을까?

(Ep.018)

[회복탄력성]

어제는, 불안했다.

오늘은 내 세상을 이 세상이 앗아갔다.

내일도 그로 인해
다시 오늘을 떠올리고 싶지 않을 만큼
고통스러울 테지만

여전히 과거로부터 온
지금은 변치 않고,

그다음 날 그다음 날
언젠가의 오늘은 기쁘게
웃음을 지을 수 있다는 것이.

나는 그게 조금 무서울 따름이다.

(Ep.019)

[그 구름을 사랑한 하늘]

그 구름이 떠나면 나는 없을 것이다.
하늘을 잘 확인해라.
내가 언제 어디에서 소리소문없이
사라질지 모를 것이다.

조심해라
바람이 불면 바람의 신께 부탁드려라.
바람을 다른 곳으로 이동시켜주라고.

이런 하늘이 사라져가는구나.
내가 사라져가.

먹구름이 찾아와 급하게 위로하듯
비를 내리네.
네가 떠났구나, 구름아.

(Ep.020)

[0에다가]

참 오랫동안 고민하다가 내게 했던
그 말이 기억은, 나시나

아니 사실 너는 고민하던 게 아니라
다른 생각을 했을지도 모르겠구나

네가 0이었는데 바보같이
수백 곱하려 애썼다
수일 차라리 더할 것을

곱해진 내가 바보 같아

(Ep.021)

[좋은 말]

좋은 말
나는 그 말들로 이루어진

감사한 길을 걸으며
삶을 이어가고 있어.

(Ep.022)

[살 이유]

이유가 없다 해서
죽음을 결심하지 않을 것.

이유는 여행객과 같아서
어느 때에 사라진 게 이상하지 않다는 것.

살 이유가 사라졌으니 죽어야 한다는 말은
재밌는 말이다.

지울 것이 없으면, 지우개는 사라져야 하나?

이유는 여행객과 같아서
어느새 나타나는 것이 이상하지 않다는 것

(Ep.023)

[입덕부정기]

걔가 그랬어?
응 어이없어.

걔 때문이야?
응? 전혀 아냐.

걔 힘들대.
응 관심 없어.

그럴 리가 없지 설마 말도 안 돼.
난 부정의 늪에 빠져버리지
걔 때문에.

(Ep.024)

[정]

애초에
유리잔을 선물한 것이 나였지만
그 유리잔을 깬 건
아프게도 내가 사랑했던 사람이었다.

'파사삭'하고 유리잔이,
너무 쉽게 깨질 때
타오르던 내 마음은
한순간에 양초 불처럼 쉬이 꺼졌다.
정이란 것이 함부로
건네 설 것이 아니었거늘

내가 널 다시 사랑한다면
그건 거짓, 일 거야.

그렇지 않을 리가 없잖아.
우리의 유리잔은 이미 깨져버렸는걸.

(Ep.025)

[약속]

너는 사진 앞에서 울고 있었다.
사진 속, 이는 보이지 않았지만

혹여나 닳기라도 할까 조심스럽게
실눈 떠 볼, 귀한 너를 말이야.
이제 서로 볼 수도 없구나.
손을 뻗어도 허공이니까.

그래도 만약 내가 죽었더라도
나는 너를 잊지 않아.
그러니까 됐다.

나 때문에 아까운 눈물 흘리지 말고,
나 덕분에 아까운 눈물 지켜서 안심해.

내가 너를 기억하고.

나는 너를 잊지 않을 테니.

(Ep.026)

[인간관계] version 1 # 축구공

튀어 오르다가
수십의 사람들을 만나고
결국은 해낼 것이지만

달려가다가 보니 나는 사람들과
어떤 측면에서 보면 아군,
어떤 측면에서 보면 적군인 사이로 지내고
결국은 해낸 것 같지만

시간이 흐르고 내가
골대를 향하게 되면,
결국 골대에 들어가게 되면,

누군가는 기쁨의 눈물이 차오를 테고
누군가는 분노가 차오를지도 모르지.

(Ep.027)

[한결같이 한심한 사람]

어제도 오지 않았던 이를
그저 기다리기만 하는 사람.

오늘도 오지 않는 이를
가만히 기다리는 사람.

내일도 오지 않을 이를
변화 없이 기다리는 사람.

그리고 그 오지 않을 이가 성공인 사람

(Ep.028)

[애증]

나는 미련이 없다고 하지만,
눈물을 흘리고 있고,

그게 피인지도 몰라 나는,
내 모습 챙길 시간이 없어서,

나는 추억이 아니라고 하지만,
계속해서 떠올리고 싶고,

조금이라도 잊을까 봐 나는,
눈을 감고 감상해.

네게 불행이 찾아오길 바라.
네게 행운이 찾아오길 바라.

(Ep.029)

[결국은 성공]

사실 내가 바라는 건
가장 높은 건물에서
가장 부러움을 사는 멀리 있는 존재가 아닌
적당한 건물 안에서 적당한 햇빛이
내려오는 그 풍경을 감상하는 것.

사실 내가 바랐던 건
가장 높다고 할 곳에서
가장 많은 시간과 돈이 아닌
적당한 공부와 그래도 열심히 살아가는 것.

그렇지만 사실 내가 바란 건
결국에 결말은 성공으로 끝나길 바랐던 것.
마침내 결과가 성공으로 끝나면
바랬던 것들을, 하며 여유를 만끽하고 싶구나.

(Ep.030)

[외사랑] # 상사화

내일 말하려고 했죠.
하루만 기다려 주라고

진심을 말하려 했죠.
그러니 잘 들어주라고

하룻밤 잠을 자고 일어나 보니
다시 지금 오늘이 되었죠.

하루만으로 나는 내일이
되리라 믿었습니다.

그렇지만 내일은 기다리면
어제처럼 오늘이 되어 나타납니다.

내일의 당신은 오늘이 아니길

(Ep.031)

[좋은 수박]

두드려보고
확인해 보고
여러 측면으로 살피고

이는 보다 더 좋은 수박을
사려는 사람의 행동이었습니까.

이는 보다 더 좋은 사람을
만나려는 사람의 행동이었습니까.

(Ep.032)

[어린 날의 과실] # 그때가 좋았지

함께 했던 시간들이 주마등처럼, 지나
그제야 깨닫게 되고

덥디더웠을 여름날이,
따뜻한 봄과 같이 느껴졌고
길디긴 시간이 이미 지나있더라
얼마나 소중했을까.

그리움에 스며들어 나는 나의 과실을
이제서야 깨닫고 아쉬워하는구나.

덥디더웠을 여름날이
시원한 청량음료처럼 느껴졌고
그때가 얼마나 소중했을까.
어린 날의 내가
어린아이들이 무얼 알았겠는가.

(Ep.033)

[네 곁 누군가가]

이 거센 비가 네게는 내리지 않기를
찬 바람이 불어 네가 춥지 않기를

내가 없어도
네 옆엔 늘 누군가 있기를
이 햇살이 네게 닿기를

번개가 널 주저앉게 만들려거든
그 번개를 내가 데려올 것이니.

네 잎 클로버가 네게 행복을 준다면
나는 그것을 찾아줄 것이니.

(Ep.034)

[범인]

재판장님
여기 중에 범인이 있습니다.

그래
노력이 배신했다 하였느냐.
결과가 배신했다 하였느냐.

그런데
노력과 결과를 나무라는
네가 정말 노력을 했는가.
터무니없는 노력으로
터무니없는 결과를 사려 한 것은 아니었느냐?

(Ep.035)

[바닥을 보는 너에게]

죽고 싶다면 죽어라.
나는 붙잡지 않을 것이야.

한데, 자네 왜 땅바닥만 뚫어져라 보고 있는가.
정녕 묻힐 곳이라도 찾고 있는가.
시간이 어떠하든,
날씨가 어떠하든 하늘을 봐.
땅은 그대가 앞으로 오랜 시간 함께 할 텐데
하늘은 그렇지 않을 것 아니야.

내일 해가 오르는 것까지 보고 가게.
자네는 이곳이 극야 지역이라는
사실도 잠시 잊고 기다릴지 몰라.

그래서, 그러다, 죽고 싶지 않다면, 살아라.
나는 붙잡지 않을 것이야.

(Ep.036)

[인간관계] version 2

살기에는 너무 거대한 괴로움인데
죽기에는 너무 하찮은 연유 같아서

자꾸 의미가 사라지는 것 같아서
자꾸 의도를 빗나가는 것 같아서

분명하게 너무나 갖고 싶은데
갖게 되면 너무나 버리고 싶고
눈물을 보이면 내가 너무 싫어져
웃음을 보이면 내가 너무 싫어져

살기에는 너무 고달픈 인간관계가
죽기에는 너무 그리울 인간관계다.

(Ep.037)

[아프게 한 것] #비통

누워서 얼굴을 따라 귀까지
흐르는 눈물조차도 나를 아프게 했다.

이유라고 할만한
그것이 작든 크든 눈물을 흐르게 한다.

이유라고 할만한
그것은 아마도 뻔한 것이며 그건 나를 아프게 한다.

(Ep.038)

[에로스 스트로게 필리아]

당신이 내게 하는 말들이 화살이었다면,
나는 차마 피하지 못하고 죽었을 거야.

당신이 내게 하는 나쁜 말들이 빈말이었다면,
나는 당신에게 충격을 받을 테고,

당신이 내게 하는 좋은 말들이 빈말이었다면,
당신을 바로 보지도 못한 채 슬픔에 앓아눕겠지.

당신이 나의 연인이든 가족이든 친우든.

(Ep.039)

[조개껍데기]

껍데기=신체 조개=사람 정신

있잖아,
조개껍데기는 약할수록 관리하기 힘들어.
그래서 약할수록 조심히 다뤄야 해.

있잖아,
조개는 아주 작게 태어나,
처음 몸의 몇십 배, 어쩌면 몇백 배까지도 자라.
바닷속에서 많은 역경과 고난을 겪었지.

그리고 그 역경과 고난에는 껍데기와 함께해.

있잖아,
그러니까 날 죽이려거든 껍데기는 그냥 둬라.

(Ep.040)

[슬피 우는 사람아]

나로 인해 슬피 우는 사람아

바다가 붉게 물들 때, 즈음은
그땐 더 이상 날 떠올리지 마.
난 널 괴롭히고 싶지 않으니.

네가 잊어가는 나를 상기시키려고 하지 마.
나는 과거의 너에게 현재로서 존재하고 싶으니.

나로 인해 슬피 우는, 이 사람아
나를 잊고 깊이 웃어. 이 사람아.

(Ep.041)

[어른이 되다]

숫자가 더해져 갈수록
너는 점점 불안할지 몰라.

새로운 숫자들이 생겨날수록
너는 더욱 긴장할지 몰라.

아직 슈퍼맨이 되지 못했는데
어린 시절의 나에게 영웅이 되었다고
당당히 말할 수 없는데
나는 이미 어른이 되었다.

그렇지만 나는 안도했다.
내 앞에 있는 훌륭한 어른들을 보고서.

(Ep.042)

[시간이 약]

시간이 약이라면
나의 시계는 멈춰버린 게 분명해.

(Ep.043)

[그런 느낌]

그냥 그런 느낌 있잖아.
오늘은 무언가
다 잘 풀릴 거 같아.

내가 하고 있는 일도
내가 하는 모든 일이.

그냥 그런 느낌 있잖아
갑자기 기분이
나른한 느낌이 드는 것.

태양이 나를 보고 있든 보고 있지 않든,
그저 나만으로 내 세상이
찬란해지는 거 같아,

나는 달라져 보이지 않지만
이미 달라진 그런 느낌.

(Ep.044)

[하늘나라 친구가]

우산이 없지만
나는 비를 맞지 않는 것만 같아.
왜냐면 너와 함께 뛰고 있거든.

일기예보에서
오늘 비 올 확률이 100%라고 해도
나는 우산 없이 너를 보러 갈 수 있어.
다만 너는 그냥 우산 쓰고 천천히 와라.

(Ep.045)

[체중계]

어쩜 이렇게 솔직할까.
등수가 1에 가까워지길 원하듯

진심을, 다해 발을 들어 올린다.
등수가 요동친다.

진정해.
아직 한 발 남았다.

99999

(Ep.046)

[미아]

버스에서 내렸을 때
그 우스움을 누가 알았을까.

황망하니 깨달았을 땐
그 깨달음 너무 늦었구나.

마치 도화지 되어서 걷는데
그 서글픔 잉크가 따로 없더라.

(writing 2024 01/18 목)

(Ep.047)

[기억 왜곡]

기억은 꽤 좋은 쪽으로
순화되어 기억되는 거 같아.

그 기억이
말 못 할 아픔이 섞여 들어 있었든
그 당시의 고초가 녹아들어 있든지

그래서 그 기억에
아쉬움을 느끼지.
왜 이러지 못했을까.
저러지 못했을까.

실제 과거에선 최선의
선택이었을지 모를 텐데 말이야.

(Ep.048)

[고번] # 苦煩

하염없이 흘러가라.
이 몸이 더는 괴롭지 않도록

멀리멀리 달아나라.
이 몸의 대단함에 놀라 죽고 싶지 아니하다면

절대 다시 오지 마라.
이 몸은 바쁜 몸이라 널 상대할 수 없다.

이 몸은 네가 두렵다.
그렇지만
이 몸이 필시 이길 것이다.

(Ep.049)

[모기]

이곳은 전쟁터이다.
뒤를 조심하라.

가볍게 스쳐 갈 나그네가
사실 그일지도 모른다.

우리의 아군이 끼니를 때울 때
그가 몰래 주시하여,
누군가가 식사 될 소리가 들린다.
긴장을 풀지 마라.

잠에 들기 전 전쟁 선포처럼
거하게 존재감 뽐내는 소리가 들린다면
불을 들고 그를 찾아라.
네가 식사 될 소리가 들린다.

이곳은 전쟁터이다.

저주할지어다.

(Ep.050)

[이승 비]

이승의 비야 내려와. 신나게 놀게.
우는 사람 보는 취미는 없다고
네가 와서 가려버려.

비가 내리는 날, 더 아파져.
맞을 수 없는 비를 맞으며
우산 쓴 손님들과 놀던 말썽꾸러기,
이젠 그러지 아니해.

비가 내리는 날, 더 힘들어.
옛 그리움에 어차피 통과할 비를
맞으며 놀다 말썽꾸러기,
소식 여럿, 들었거든

비가 내리는 날, 덜 내려라.
그들은 비를 맞아야 할 사람들이, 아니야.
죽은 내가 이승 비를 바라서,

그 사람들이 아파.

(Ep.051)

[쓰다 보니]

인생에 대해, 쓰다 보니
나는 인생이 쓰다는 것을 알았고,

인생을 쓰다 보니
나는 어느새 눈을 감고 있구나.

(Ep.052)

[오이] # 오이라임 # 오이타임

아삭하니 시원해라
애석하니 다 먹었네.

깔끔하니 기분 좋아
가끔 먹고 싶어지지.

서걱하니 독특해라
허걱하니 못 먹겠네.

씁쓸하니 기분 그닥
쓸쓸하게 물렀거라.

(Ep.053)

[절망]

나는 푸른 하늘이 좋았다.
하늘을 볼 때면,
어쩐지, 나는 좀 더 자유로운 사람이 되었다.
그래서, 놓고 싶지 않았다.

나는 푸른 하늘이 싫었다.
하늘을 볼 때면,
어차피, 닿으려야 닿을 수 없다는 것을 알기에.
그래서, 잡은 적도 없어서.

절망했고 절망하다.

(Ep.054)

[동백]

늦었지만 너무 이르렀다.
어느 쌀쌀한 계절
붉은색의 꽃잎이
당차게 피어오르고

그렇지만 꽃은 제자랑 절대 쉬이 하지 않았다.
그도, 그럴게,
현재가 해 품어질 바다처럼 깊어서
현재에 저 같은 이가 붉은 바다의
물방울 수만큼 있을 것이라 하니
겸손하기도 해라.

그렇지만 계절처럼 단호하게 가는 것은
매정하구나.
그렇지만 네 마음 시들기 전 떠나는 것은 참
애석하구나.

(Ep.055)

[불]

세상이 너무 어두워서
밝힐 것이 필요했다.
그리고 그들이 찾은 것은 불이었다.

산불이 났다. 원숭이도 나무에서
떨어진단 말이다. 괜찮다.
불만 찾았겠는가.
세상엔 물도 있다.

물로 진압하는데
불만 있는가.
그렇다면 그 불은 어떤 물이 필요하나.

(Ep.056)

[기침]

누구인가
누가 기침 소리를 내었는가.

더 자.

(Ep.057)

[겁]

그렇게 말하지 않아도 아는데

발걸음을 멈추게 하는 불안이
우습게도, 이따금 고맙다가도,
우스워져. 스스로가 보기에도.

그러다 두려움 다시 드리우면
마음은 무심코 떨어져 버린 꽃처럼
심장이 덜컥 주저앉는 듯해.

그래 나는 겁이 나는구나.
허나, 그게 뭐, 어떤가
누구나 겁먹기 마련인데.

냅다 겁을 먼저 집어, 삼켜버리지 뭐.

(Ep.058)

[과로사]

이것 참, 얼마나 명예로운 죽음이야.
열심히 살다 죽었다는 것이.

비록, 각박하지만 찬란한 곳에서
잘 살아남다가 죽은 거잖아.

하하하.
하하.
하 그것참, 얼마나 애처로운 죽음이야.

(Ep.059)

[인생 술]

술맛을 모르지만
나는 술맛을 알고

너무 달아서 쓰디써

때론 향긋한 향으로
더 마시고 싶게 하는
때론 독하디, 독해서
더 마시면 꽐라 되는

내가 마시는 인생 술

인생이라는 술.

(Ep.060)

[희망]

희망이라,

네가 깊은 우물에 빠졌다면,
희망은 너에게 밧줄을 보여줄 뿐.

어쩌면 한 줄기의 빛만 줌으로써
네가 탈출할 미래만을 꿈꾸다,
결국 끝나게 만들지도 모를 것.

그렇지만 희망은
그렇게라도 널 살고 싶게 만들 존재랄까.

(Ep.061)

[본성]

만약에, 만약에, 만약에,

만약에 네가 만화에 나오는
악당이어도
너는 영웅일 때의 너와 같아.

만약에 네가 세상을 구경한
악마였어도
너는 천사일 때의 너와 같아.

너, 자체는 변치 않을 테니까.
변해 보일 수는 있겠지만.

(Ep.062)

[속다]

눈에 보이는 결과를 낼 수 있는
오늘의 내가, 못한 일을
내일의 내가 할 수 있으리라 믿는가.

너 자신만큼 너를 잘 속이는 이가 또 없다.

(Ep.063)

[미련]

분명히 싫어졌어. 그래서
잊지 못해
분명히 좋아했어.

사실, 되게 헷갈려.
내 주변 머물던 누군가의 빈자리가
만든 공허함이
나를 이리도 뒤돌게 만드는 것인지.

그저 네가, 너라는 존재가
만든 그리움이
나를 이리도 되뇌게 만드는 건지.

(Ep.064)

[아이스크림]

그래도 얼마나 부유한 죽음이야.
더운 날 얼어 죽다니

나 같은 것이
흘러가다 멈춘다면 그것은,
얼어버린 얼음이라 하였다.

옆집 친구 더위에
말라 죽어가는 것을 보고
비웃다가 나는 여름 감기에
눈 감는구나.

-100
30

(Ep.065)

[평지]

이 오르막길만 끝나면,
그다음부터는 평지라고 하기에 무심코 좋아했다.

허나,
나는 놓치고 있었다.

그 평지의 높이가 길 가장 위의 높이와 같다는 것을

(Ep.066)

[포장]

차라리 그리움이라는
아름다운 포장지에 담겨 있지 그랬어.

왜 너를 나에게서 하찮게 만들어.
왜 나를 하찮은 것에 연연하게 만들어

비참했던 나는 이제 더 이상
널 포장하지 않아.

(Ep.067)

[안절부절]

잊질 못해
너를 잊질 못 해

잊질 못해
대활 잊질 못 해

있질 못해
같이 있질 못 해.

안절부절못해.

(Ep.068)

[존재하다]

내가 무서운 것은,
원래부터
보거나 느끼기 힘든
그런 것이 아니야.

그러지 않은 것들, 중에
보거나 느끼지
않는 것만큼 무서운 건 없어
당신의 존재를
보거나 느낄 수 없다는 것 말이야.

그런데,
당신이 부재를 끝으로, 사라져버렸다는 것이
여전히 존재해버린 나를 무섭게 해.

(Ep.069)

[명품 식탁] # 가치

나는 고급스럽다.
명품이래.
비싸겠지.
나를 만드는데,
사용된 돈만 해도 셀 수 없을걸?

그런데 감히 얼마, 값어치도 안 되는 게
내 위에 올라와? 저리 꺼지라, 그래.
-
엄마 저 식탁 안 써요?

아 저 식탁, 이상하게
올리는 음식마다 다 쏟고
그릇에 금이 가서 말이야.

식탁이 식탁의 값어치를 하지 못하니까,
안 찾게 되네.

(Ep.070)

[떠오르다]

다 떠오른 것 같아도
다 떠오르지 않았는지
모를 것이다.

떠오르지 않은 것이
존재하는지도 모르니까.
적어도 떠오르기 전까지는.

그것이 찰나의 생각이든
바다에 빠진 사람을 구하는, 일이든

--?
※물입니다.※

(Ep.071)

[자살]

또르르르 또르륵 떨어지는 것은
그 아이의 두려움

툭, 투두둑 투두둑 떨어지는 것은
그 순간을 암흑으로 덮어버리고,

쿵 떨어지는 것은
가을을 버텼지만 결국,
겨울을 이기지 못하고
떨어진, 나뭇잎과 같다.
가엽구나.

하지만,
그대는 나뭇잎이
아니지요.
그래서 겨울을
이길 수 있지요.

(Ep.072)

[그거면 되었다]

비록 지금의 내가 만족하진 않지만
그때의 나는 만족했으니까.

그거면 됐다.

과거를 떠올려
이젠 돌아오지 않을, 시절,
그때의 나는 만족했으니까.

(Ep.073)

[학생 때 진로]

사실은 불안한가 봐

쌍둥이조차 제 세상을 벗어나
홀로 나오는데

나로선 여기 이 세상에 나아가
홀로 내 발 옮길 길 찾지 못했다.

이곳 만인이 그리워할 세상이지만,
나는 내가 무엇을 원하는지 모르겠어.

나는 알고 있어. 내가 무엇을 원하는지.
그러나, 꿈이 꿈일까 봐, 두려워.

(Ep.074)

[의미 없는 것도]

공간, 아무것 없는 빈 곳

누가 그러더라고
공간에 잉크 한 방울 떨어뜨려 봐.
공간은 첫 번째 뜻을 잃을 거야.

그렇지만, 의미를 잃진 않을 거야.
새로운 뜻을 부여받을 것이라고.

하려던 일의 방향을 잃어도
그래서 끝내 정말 끝내고 싶어져도

모든 것 중 어떤 것 하나도
의미 없는 일이 아니며.
설령 그게 알고 마시는 사약일지라도

멍청한 게 아니며.
좌절할 수도 있다고
좌절조차 의미가 있다고

새로운 뜻을 만들어 낼 것이라고.

(Ep.075)

[순수함에게]

누구에게 마음 주지 않아서인지,
왠지 더더 미려하게 피어난 눈이,

어쩌면 그래서 더더 순수한 네가
되지 않았을지,

그것이 변치 않기를 바라는 내가
그래서 더더 차가워지는 것일까.

따뜻해져서, 눈이 녹아 비가 되어
바닥에 닿지 않기를 바라니

(Ep.076)

[독수리와 까마귀]

그런 같잖은 것에 의미를 두기에는
의미에 의자도 아까워.

나는 날아오르고, 있거든
오를 것이거든

(Ep.077)

[송별]

차갑게 떨어져 버린,
이제 그 무엇도 아닌
것이.

뜨겁게 끓다가
이제 증발해버린
것아.

다가갔지만 다가가지 못했을
나의, 오아시스야.

잘 가라.

(Ep.078)

[내적 친밀감]

끝을 알기 어렵게 많이도 핀,
하얀 하늘

서늘하기도 한데
그 서늘함이 결탁할 것 같지 않아
나 안일해져

멀리 멀리도, 있는 태양이
이 땅 오래전부터 알고 따뜻하게 돕듯이,
나 오래전부터 알아야 했을 것이라고
생각이 들어

(Ep.079)

[답]

답이 쉽냐고 묻는다면

답을 아는 사람에게는
늘 답이 쉽지.

(Ep.080)

[선한 것들이란] # 線 #善

끌어내리려는 것들
다 무의미해 나에겐

그냥 태생부터 선을 갖는 사람이 있는가 하면
그저 인생 어느 시점부터 선을 갖는 사람이 있고.

하얀 동그라미가 되었으면,
다 무의미해 그들에겐

끌어내리려는 것들이
어떤 색을, 어떠한 마음을 가지고 있든지

빛은 섞일수록 더 밝아질 테니까

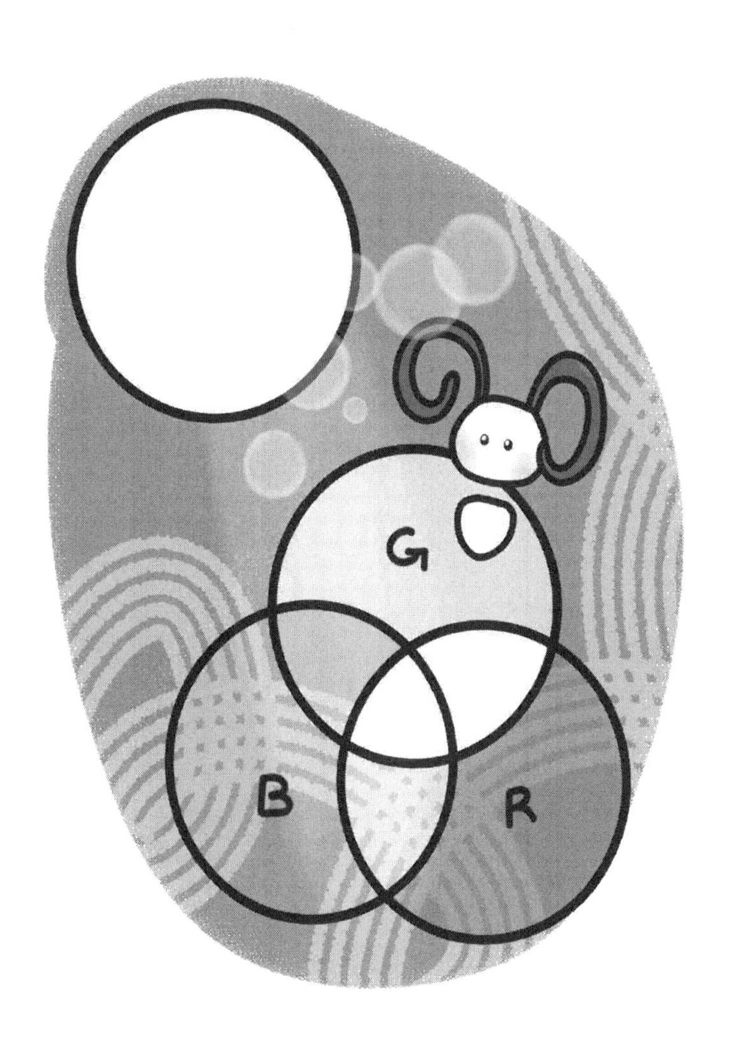
G
B
R

(Ep.081)

[남겨진 믿음]

그냥 지나가도록
그저 흘러가도록

알고 있었지만,
알고 있었기에 상관하지 않았다.

그럴 만한 이유가 있겠지.
하면서

(Ep.082)

[같은 문제]

아무리 봐도
과거와 같은 문제인데,

아무리 봐도
그 문제의 답이
기억나지 않는다면, 나오지 않는다면

그건 같은 문제가 아니야.
새로운 문제가 되어 찾아온 거지

인간도 같아 아무리 봐도
같은 사람인데 같은 사람 같지 않다면,

그 사람은 더 이상
네가 알던 사람이 아니야.
다만 새로운 사람으로 만나게 된 거지

(Ep.083)

[정말 고마워서]

입을 벌릴 수 있지만 말을 못 해
소리를 낼 수 있지만 말을 못 해

내가
사과를, 못하는 사람은 아니었지만
감사를 알지 못했던가.

입이 안 떨어져서 말이야.
죽었나? 하는데, 나 잘만 살아 있다

그래도 대신,
눈물로라도 말할 수 있어 다행이다.

(Ep.084)

[사라지다]

누군가
사라진다는 것은,

무언가
사라진다는 것은,

믿고 싶지 않다는 의지와
상관없이
결국 믿게 됩니다.

정말 사라졌으니까.

(Ep.085)

[스마트폰]

이제 안 본다면서
아마도 1미터 내외에 있는 것

함께 있는 게 어느새
더 익숙해진 것

친절한 듯 불친절한 놈

(Ep.086)

[바람둥이] # 계절=애인

나는 모든 계절이 좋습니다.

그중 하나 제일을 뽑는다면
나는 뚜렷한 계절이 좋습니다.
그중 다시 제일을 뽑는다면
나는 향기 짙은 계절이 좋습니다.

다른 계절과 함께해도 잊혀 지지 않는 그런 향기
그가 내가 추억할 때 더 편할 거 같거든요.

(Ep.087)

[겨울 영화]

조금은 차가운 공기가
세상 일부를 뒤덮고

언제 그랬냐는 듯
따뜻하다 못해 뜨거웠던 공기는
다른 일부 세상으로 떠나갔다.

조금은 차가운 마음이
세상 일부를 뒤덮고

따뜻하다 못해 뜨거웠던 마음은
차디차게 식었다.

라는 그 영화 한 편을 살았다.

따뜻한 음료 한 잔, 마시면서
이불 속에서 귤이나 까먹으면서

REC
아이고 좋구나 -

(Ep.088)

[모순]

삶은 진실로 이뤄야 할 테지만

거짓은 마치 진실로
바로잡아야
용서될 것 같지만,

때론 아무리 진실이라도
상대가 늘 이해해 줄 것이라는
안일한 생각은 하지 않는 게 좋다

때론 거짓도 필요하단 말이다.

(Ep.089)

[좋은 말은]

좋은 말은
꼭 어른이 하는 것도 아니고,
꼭 어린이가 하는 것도 아니다.

좋은 말은
좋은 사람이 좋은 말을 하는 거다.

(Ep.090)

[죽음]

죽음은 정말로 존재하는 거야.
책에서 나오는 느낌이랑 달라.
글로만 접하던 개념이랑 달라.

어딘지도 모를 그래도 기억한
진실한 죽음 소식 들려오면,

흐릿한 마지막 찰나가 생각나.

잘 알지 못했어도 단어가 슬퍼.

두 자로 여러 감정을 제공해.
누군가 웃더라도 누군가는 울거든.

News
Memory
死 -

(Ep.091)

[자괴감]

문뜩 의문이 들었다.
문제가 어려운 걸까.
내가 쉬운 걸까.

(Ep.092)

[안구건조증]

때론 아무 상황에
눈물이 필요한 법이야.

울고 싶지 않아도
울어야 하는 법이지

눈이 뻑뻑하거든.

(Ep.093)

[이뤄둔 것, 그리고 이루고 있던 것]

아무것도 안 할 거야.
이상하다

아무것도 안 한다는 게 그래도
유지는 되는, 것인 줄 알았지.

나 정말 많은 것을 했었구나.

(Ep.094)

[대비하다]

일어난 적 없는 일에
왜 대비 하나 묻기에

일어난 적 없는 일을
대비하는 게 대비 아니겠냐 했지.

(Ep.095)

[저퀄] (저퀄리티)

저퀄이네.

저세상 퀄리티

(Ep.096)

[서운하다]

파릇했던 낙엽이지만
한순간에 지나간 오늘의 해처럼
알맞게 떨어진 거야

늘 함께 있던 달까지
사실, 나도 모르게 다른 모습을
보이고 있었어.

그저 그런 거야 그렇지만
왠지 아쉬운 거야.

(Ep.097)

[마음]

생각보다 버겁습니다.
무게가 정해지지 않은 것을 든다는 것은
무게가 언제 바뀔지 모른다는 사실은

생각보다 무겁습니다.
보이지 않더라도 없는 게 아니라서

생각보다 어렵습니다.
나는 지불했지만 그는 아니라고 해서

(Ep.098)

[고향]

잊으려야 있겠으랴.
내 머리 깊이에 숨어서라도
잊히지 않을 텐데

이 향 저 향으로
나 자신 속여도 숨어서라도
그리울지 모를 텐데

향에 대한 그리움엔 없앨 방도 없어,
다시 가서 보니

기억도 안 나던 향이
스며드네.

(Ep.099)

[팝콘]

평소에
늘 부드럽게 대하기에

나야 좋지만

그래도,
무른 아이인가 괜히 걱정되어
괜찮나 싶지만

알고 보면 외유내강인 놈.

가끔 씹히는
옥수수 너무 딱딱하잖아. -

(Ep.100)

[완성]

기준은 다르고
그래서 어렵고
그렇지만 된다.

모두를 맞춰줄 순 없다.
모두를 위해 네가 뒤로 가면
결국 모두를 향한 네 마음은 별빛처럼 나뉠 거야.

그렇지만 네가 뒤로 가서
더는 근심 없다면 그건 네게 완성이 되겠지.

간단한데 간단하지가 또 않아.

(Ep.101)

[개화]

그냥 적당히 좋을 때
죽는 것도 꽤 나쁘지 않겠다는 생각이
날도 참 적당한 그런 날,
자기 전에 문뜩 떠올라서 말이야.

꿈 하나 거창히 꿔두고,
어쩌면 지금껏 살아온 날보다
더 많은 나날을 꿈에서 보낸다는 건 어떨까.

가장 불행할 때 죽으면 왠지
더 슬퍼지진 않을까 두려울 것 같거든.

딱 지금인 것 같아. 올지도 모를 불행 없고
과하지도 않은 삶에 대한
인간의 호기심이 핀 순간이

꽃이 개화한 순간이

(Ep.102)

[시험]

고놈 참 너무해라
친절히 날짜까지 알려주는구나.
내가 핑계를 어찌 댈지, 뻔히 안 다는 듯이.

검을 언제 겨눌지 알려주네.
다시 보니 오만하잖아.

고놈 참 너무해라
앞으로 안 볼 사이도 아닌데
이리 공과 사를 구분해

숫자 적힌 종이 한 장 쥐여주고 가네.

그래서 다음은 언제 오냐.

시험지
시험지

(Ep.103)

[비행]

짐이라면 짐인
짐 여럿을 머리 위에 이고
달리는데 덜덜덜
몸을 떨면서 달리네

짐 여럿의 속도 모른 채
그 여럿 쏟을락 말락 달리니
심장 부여잡은 사람도 있을걸

그렇게 달린 달리기의 끝은 제법 간단했네

승객 여러분 비행기가 착륙했습니다.

(Ep.104)

[기계의 감정]

아이가 내게 꽃을 줬습니다.
고맙다고 해야 하겠지, 그런데 어쩌지.

자꾸만 사라지는 것 같아
애초에 처음부터 없었던 것들
어느 순간 있다고 느꼈던 것들이

자꾸만 사라지는 것 같아
원래는 존재하지도 않았던 것인데
내게 생긴 것 같아 기뻐했던 것이

자꾸만 조급해지는 것 같아
사실은 나도 알고 있었는데

잠시나마 있긴 했었을까
고맙지만 왜 고마워해야 하는지도 모릅니다

(Ep.105)

[사이에서] #고래 싸움에 새우 등 터졌지

나는 오늘 기다렸네.

이 조합 저 조합 고심 끝에 겨우 섞어도
이름만 길어질 색이 나올까 봐 고민했다.

각각 보색인
보라색과 노란색을 섞어
하얀색을 만들 수가 없는데
혹여나 좋은 방도가 떠오를까,

나는 그가 떠오르길 기다렸네.

(Ep.106)

[해]

어둠이 태양을 삼켰다.
달이 태양을 대신했다.

일주일의 7일이라는 시간은
결코, 짧지 않은 시간이나,
지금 나에겐
어둠이 태양을
삼키는 시간보다 더 빠르다.

한 해라는 시간은
결코, 짧지 않은 시간이나,
지금 나에겐
7일이라는 날들보다
더 빨리 가는 것 같아 야속하구나

(Ep.107)

[마녀사냥] # 독초

내 처지에 진짜 나를 보여주면
둘 다 죽을 것 같았어.

근데 그러면서도 이 정도면 되게
잘 살아왔잖아. 하고 기대했지 뭐야.

혼란 속에서 방황하다가
아 이제야 알겠더라.

나는 이제 더 이상 내가 베여서 피가 났을 때
흉터의 흉터로 남을 쓸쓸한 향기가
누군가에겐 역겨울 향기가
나 역시 날 일이 없길 바라고 있다는걸.

그러니까 나를 모르신다면
어떤 파도가 쳐도 어떤 바람이 불어도
그들과 함께 감히 나를 죽이려 들지 마.

(Ep.108)

[가을의 낙엽]

사르르 사르르
어느샌가 짙어진 마음 하나 날아다녀,
본인은 모른 듯 하지만 그건 감미롭지.
그저 함께 있을 뿐이라도 더욱 그래.

자신을 따뜻하게 만들어서

한때 그들이 초록빛이었던 옛 세상을
사람들이 회상할 수 있도록 돕는단다.
그들은 가을의 낙엽이야.

(Ep.109)

[그러나 맞는 말]

어느 날 한 사람이 내게 묻더라고
사람은 언제까지 살아?

그래서 말했지.

죽을 때까지 살아.

(Ep.110)

[아는 사람]

아는 지인의 아는 형님의
아는 누님의 친동생의
아는 지인의 부모님의

형제의 친구의, 그의 자식의
아는 형님의 아는 동생의
아는 동창의 아는 언니 정도라니

아는 사람 맞죠?

(Ep.111)

[건망]

분명 같은 내 머리야.

근데 지금은 방금 전
내 머리 같지가, 않아.

내 머리를 뒤져봐도
안 나오잖아.

그런데 무슨 말을 하고 있었지?

(Ep.112)

[후회하는 것]

세상에 오래 머물렀던
상대적으로 늙은 생명들은
주로 안 해봤던 일들을 후회하고

세상에 짧게 머물렀던
상대적으로 어린 생명들은
주로 해봤던 일들을 후회한다더라

(Ep.113)

[빽]

밤에 눈 뜨고
빛을 찾는 것보다

낮에 눈 감고
빛을 찾는 게
더 빠르다는 현실

(Ep.114)

[좌정관천이라]

주변을 둘러보곤
나는 내가 다 큰 줄 알았는데
내가 큰 줄로만 알았는데

사실 모두 다 덜 자란 거였어

'훗, 나는 1+2도 아는데'

(Ep.115)

[성장한 후]

마치 불가피한 심연을
무심코 빠져나오게 될 때

마치 부기지수 시련을
무심코 보니 다 해냈을 때

(Ep.116)

[자존심]

눈물에
나는 좀 더 큰 눈을 만들지
이 눈물 떨어지지 말라고

아픔에
나는 좀 더 큰마음 만들지
이 상처 티 나지 말라고

그렇지 않으면 내가, 지기라도 하는 것 같아서

(Ep.117)

[할 수 있지]

할 수 있지? 라는 질문으로
할 수 있음을 강요한 건 아니죠?

(Ep.118)

[부탁 후에]

미안하단 말도 나쁘진 않겠지만
고맙다는 말이 서로에게 좋다.

(Ep.119)

[첫눈에 반하다]

첫눈.

흔한 것이지만
흔하지 않은 것

그것이 올해의 땅에 처음 내려앉았을 때
때론 들뜰 것이지.

그것이, 아름다운 설백색이,
아름다운 마음에 내려앉았을 때
때론 저릿할 것이지.
마치 심장에 이상이라도 온 듯이.

첫눈에 반했거든.

(Ep.120)

[다툼의 승패]

승리에서는
남이 좀 더 못하거나
남이 실수하게 되는 것도 물론 좋겠지만
그래도

사실은 그냥
내가 잘하는 게 가장 낫고.

패배에서는
남이 좀 더 잘했거나
내가 안타깝게 졌다면 물론 아쉽겠지만
그러나

사실을 그냥
인정하지 못하고 분노하는 모습은 가장 낮다.

VS

(Ep.121)

[모르는 게 약]

내게 열 개의 열쇠가 있다면
나는 영 개의 열쇠를 갖겠소.

(Ep.122)

[아는 게 힘]

내게 영 개의 열쇠가 있다면
나는 열 개의 열쇠를 원하겠지.

(Ep.123)

[손가락 사냥꾼]

왜 이렇게 궁금한 게 많아
정작 참 거짓은 거들떠보지도 않잖아?

왜 이렇게 구설들이 많아
너도 상실은 거대하게 두려워하잖아?

앞장서긴 무서운데
뒤에 서니 만만하니

타자 소리 들려오네
다들 처벌 기다리니

(Ep.124)

[두려워 마라]

" '1, 2, 3, 4.' 다음엔 뭐가 있게."
"5?"
"아냐, 다시 봐봐 아무 숫자도 없잖아."

두려워 마세요.
오지도, 어쩌면 있지도
않은 것을, 두려워하지 마세요.

설마 코웃음 소리 내신 건 아니죠?　　　찡긋-

그래! 두려워 말거라.

(Ep.125)

[가을을 살다]#죽긴 왜 죽어 어차피 죽어

온 세상이 그의 따스함에 눈물 흘릴 거야
그는 깨닫게 해줘.
세상이 예쁘다는 것을
적색 황색 녹색 청색
그 곱디고운
찬란함이 너에게도 닿지 않겠냐고

온 세상이 그의 차가움에 눈물 흘릴 거야
그는 깨닫게 하지.
세상이 예쁘다는 것을
열애 우정 자연 미움
그 아프디 아픈
찬란함이 너에게 닿아있지 않겠냐고

그 찬란함 그대 곁에 잠시 영원할 테지만
그대의 세상이 짧다고
어차피 그대의 세상이 짧다고

그는 깨닫게 하지.

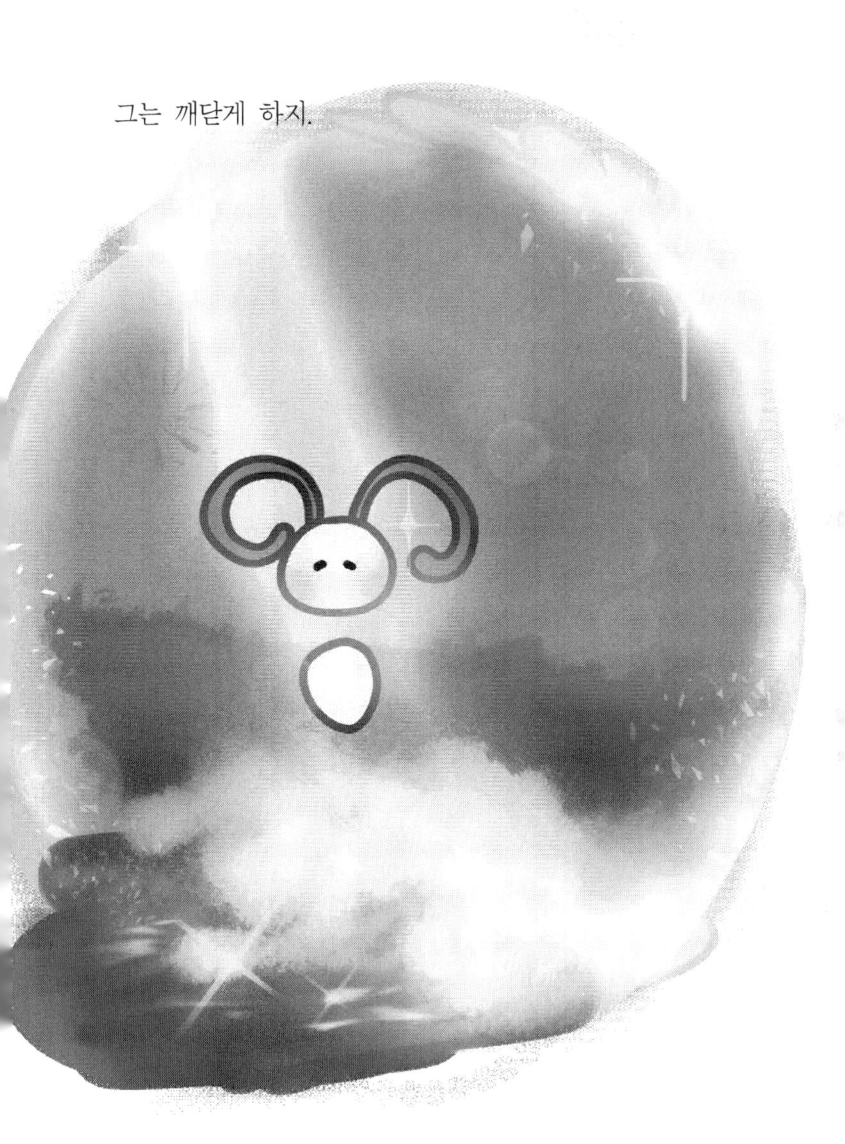

(Ep.126)

[자석]

설마 내가 모를까 그것을.
나 이미 이전부터 알고 있는 듯 끌리는데.

나를 보고 있으나 내 주변 그들에게까지
인력이 작용하는데
설마 내가 모를까 그것을

참으로 철든 놈이야.

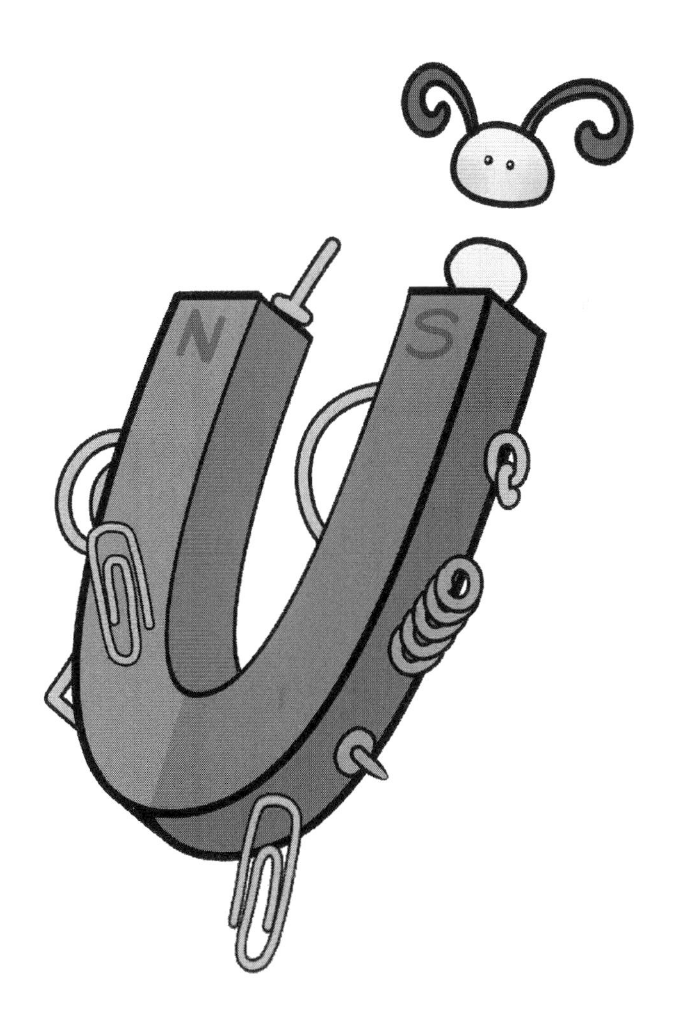
N
S

(Ep.127)

[사소한 거라도]

한 명이라도
무언 갈 하는 사람이 있다면

그런데
당신은 그걸 안 하고 있다면
당신은 안 하는 사람이 된다.

(Ep.128)

[유언비어]

허위 사실
유먼인 줄 아시는데
그건
루머야.

(Ep.129)

[헛소리] #그러나 잊혀 지지 않는다

헛소리

코끼리는
수박을 먹으면 아이스크림이 돼

그러면서 대뜸 진지하게 하는 말이
후회하지 않겠냐고 해
대체 무얼?

그러나 그 헛소리가
어느 날
지금 내가 후회하게 될 것이라는 듯 불현듯 떠올랐지

에이, 헛소리.

(Ep.130)

[잔소리] # f(x)

솔직히 듣기 싫지만
사실은 듣고 싶은 말

같은 말을 들어도
사람에 따라
그들의 성격 그 모든 것들에 따라
다른 값이 나오니

듣는 사람의 필터에 맡겨야지요.

물론 모든 잔소리가
대부분 기본적으로
어쩌면 좋지 않게 들리겠지만요.

그러니 그래서 더 청자에게 맡겨야지요.

(Ep.131)

[멍청이] # 노력으로

멍청한 머리에 하나 배운다고
똑똑한 머리로 변하진 않지만
똑똑해 보이는 멍청이가 될 수 있잖아.

게다가 똑똑해 보이는 게 사라지지 않으면
그건 더 이상 멍청이도 아니지 않습니까?

배움은 그런 겁니다. 그런 것 같아요.
변화.

(Ep.132)

[킬링 문제]

킬링 문제면 뭐 네가 죽든가 문제가 죽든 하겠지.

그런데 사실
킬링 문제는 면접관과도 같아서
그도 결국 문제일 뿐이라서

네가 맞추길 바랄걸?

(Ep.133)

[피와 아픔]

피가 나지 않는다고 해서,
아프지 않은 것도 아니고.

피가 난다고 해도
아프지 않을 수도 있단다.

(Ep.134)

[기대들에게 나의 먹구름이]

저벅저벅 길을 걷는데
누군가는 나에게 기대를 하고
누군가는 나에게 기대를 접어

이쪽에선 나에게 호의적이야
이쪽에선 나에게 회피적이지

그 차이를 느낄 때마다
먹구름 가실 줄을 몰라.

저벅저벅 길을 걷다가도
갑자기 막 뛰기라도 해야 할 것 같아.
지지해 주면 하는데 또, 지지하지 말았으면 해.

사실 그래서
나는 둘에게 내가 알려진 지금을 때론 원망해.
먹구름 가실 줄을 모르거든.

(writing 2023 11/25 토)

(Ep.135)

[우리 연] # 연2

우리의 연이 닿았고

우리는 연을 날렸고
잘도 만든 씩씩한 연이었지.

우리는 연을 보냈고
올해 이듬해 그렇게 얻어왔지.

연

(Ep.136)

[기억의 맛]

이삿짐 정리하다가
초콜릿 하나 나왔다

있었는지 없었는지 조차
잊고 살았던 초콜릿.

그와 함께 한 때가 떠오르는구나.
이젠 제대로 잊고 싶으니
초콜릿 껍질을 까서
그를 씹었다.

즐거웠던 때 그리고 씁쓸한 마지막
곡 씹는 기억의 맛은 맛이 없구나.

씹은 뒤 나는 삼키지 않고
그들을 뱉어냈다.

(Ep.137)

[고정관념]

가까이 있을수록
빨리 올 줄 알았지만

멀리에 있을수록
늦게 올 줄 알았건만

가까이 있는 너는 거리를 유지한 채
시간을 넘기지만

멀리에 있는 너는 시간을 유지한 채
거리를 넘긴단다.

(Ep.138)

[겨울의 낙엽]

없는 것도 아니고
있는 것도 아니다.

알 수 없는 내 말의 끝, 발도 없이 어디에
알 수 있는 내 말의 끝, 언제까지 이을지

가을 낙엽은 사르르 사르르 갔고
겨울 낙엽은 포슬포슬 내려온대

본디 차가운 것인데 따뜻하듯
있든 없든, 알든 모르든
생각에 잠긴 그대에게

하얀 겨울 낙엽은 살포시 그대에게 내려온대

(Ep.139)

[나태 지옥]

충분히 할 수 있었지만
안 했다고 합리화도 해보고
아직 때가 아니라며
저 자신 계속 속여왔지.
사실, 항상 때인데

누군가에겐 어쭙잖을
우스운 괴로움도 겪었어도
저 자신 잘도 속여왔지.
다시, 같은 자리네

나태한 사람이 너무나 싫었는데,
사실, 나태한 건 나야.
그걸 눈치 못 챘을 리 없지만
저 자신 오래 속여왔지.

다시 괜찮아졌어.

괜찮긴, 뭐가 괜찮아!

(Ep.140)

[끝인상]

먹구름이 예뻐 보인 날

조금은 신기한 날이야
사실은 처음인 날이야

문뜩 고개를 들어 보인 먹구름이
세상에 어찌 그리 달라 보일까

차갑디, 차가운 무겁디, 무거울 줄만 알았던 게
포근하고 가벼워 보이다니

내가 사람을 착각했었나 싶어

(Ep.141)

[힘이 든다는 것] # 내가 힘들다는데

힘들다고 하기엔 한 것이 없다. 가 아니라,
한 것이 없어서 힘들 수도 있고.

힘든 것이 이르다고 하기엔
그건 너무 주관적일지도 모릅니다.

그게 한심해 보이고 진짜 힘듦을 모른다고 하신다면
그들은 가짜 힘듦이라도 느끼나 봅니다.

(Ep.142)

[무서운 놈]

칭찬은 바다의 '그 고래'도 춤추게 한다는데
얼마나 무서운 놈일까?

(Ep.143)

[쇠뿔도 단김에 빼셔요] # 칭찬

있잖아요, 칭찬이요.

;

그거
언제든 할 수 있는 게 칭찬이라며
미루지 마시고

그냥 지금 해 둬요.

(Ep.144)

[현타] version 1 (현자 타임)

인생은 써
과하게 달다 못해 그리 변했지.
아님, 단맛을 못 느끼는 것일지도 모르고.

웃음이 나와 어쩌면
언젠가의 하루를 위해 달려온 내가
순식간에 너무나 허무하게 사라졌어.
밥이나 드시지, 욕이나 뱉어대고 있어.
나를 걱정하는 나도, 나를 혐오하는 나도 모두.

울음이 나와 사실은
언젠가의 하루만을 위하진 않았는데
언제부턴, 그렇다고 해야지 내가 덜 한심해져

내 최선의 행동이었던 걸 안주로 나는 웃어
이 집 안주 잘 잘하네.
술은 써.

(Ep.145)

[빈익빈 부익부]

비 오는 날
우산이 없는 것만큼
차가운 현실이 있나
제아무리 청아할지라도

비는 같이 놀고 싶었을지라도

우산 없는 사람에게
달려든 것이
그 사람에겐 달갑지 않아,

등 뒤 가방은 주인 속도 모르고
비와 옳다구나 놀고 있으니
주인 발걸음만 무거워져 가지

우산 하나가 없더라도 뭐든
없는 사람이 더 살기, 힘들어.

(Ep.146)

[막노동]

머리가 나쁘면 몸이 고생한다고들 하지

참이더라도,
내가 그런 말 들으려고 고생한 건 아닌데

(Ep.147)

[다행인 것]

진짜 다행인 게 뭔 줄 아십니까?
아마도,
오롯이 나를 위해 가장 최고의 수치로
이기적일 수 있는 건

무조건 나를 위해 가장 최상의 수치로
이기적 이게 굴 수 있는 건

나뿐이거든?

근데 그 '나'가 납니다. 나요.

(Ep.148)

[너와 나 또는 우리] = 그 문제

이건 무슨 문제일까.

수학이라 하기에는 과하게 주관적이야.
국어라고 하기에는 나의 언어가 아니야.
역사라고 하기에는 너무 진행 중이지.
과학이라 하기에는 과하게 미스터리지.

그나마 그 문제를
수학이라 치면 유형 수가 한계를 모르는 미지수고.
국어라고 치면 아마 유토피아의 언어가 되지 않을까.
역사라고 치면 늘 새로운 사건 사고 사료들이지.
과학이라 치면 흥미로운 연구감일지도 모르겠어.

참고* 혼자 다른 눈 출연 : p85 아가

정장 친구 출연: p47

(Ep.149)

[내로남불]

내가 하는 말은 모두 다 맞는 말
네가 하는 말은 나한테 맞을 말

(Ep.150)

[죄송하지만 미안하지 않습니다]

죄송합니다. 미안하지 않습니다.
미안하지 않아서 죄송합니다.

(Ep.151)

[얼굴만 알았던 너에게]

모르는 건 아니라
그 처음 말고 진짜의 처음부터 모르고 싶었고

그렇다고
아는 건 아니라
처음 말고 지금부터 알고 싶었다.

(Ep.152)

[버스]

버스야. 버스.

해, 달, 날,
하나 같이 버스가 따로 없어.

타지 않으면 그저 순식간에 지나가 버리지.

(Ep.153)

[공든 탑]

별거 아니었다.

무용담 이야기하는 듯 우쭐대며
아님, 진짜 별거 아니라는 듯
슬쩍 꺼낸 내 영화

고생 끝에 낙(樂)이 온대서 쌓았다.
제법 진지하게 제법 고생하며 쌓았다.
남이 보기엔
마냥 멋스러운 이야기

그러나 결코, 무너지지 않을
슬쩍 꺼낸 내 영화

(Ep.154)

[애매한 고생]

애매한 고생은 애매한 기쁨 그 이하다.
안타깝게도
애매한 고생은 그래도 고생이라고
관형어 뺀 후에 이름 값했다.

차라리 확실한 고생이
확실한 기쁨을 안겨줄까?

(Ep.155)

[기대] #항등식 $x+2x=3x$

기대를, 하면 실망하게 돼

그리고, 번외로,
기대하지 말라는 말은
사실, 말하는 사람도 마음이 아파
보통은 기대하게 해서
그 기대에, 부응해 주고 싶거든.

(Ep.156)

[방학]

아 달다 달아
비록 쉬는 게 쉬는 게 아니더라도
그냥 단어 자체부터가 좋다.

계획적으로 살아야겠어. 하며
이 솜사탕처럼 단 방학을
무심코 물에 씻어 버렸다

아이고 어디 갔어! 내 방학!

(Ep.157)

[현타2] version 2 (현자 타임)

현타 온다. 근데
몰라 일단 해.

물론 말이 쉬운 거지만,
현자 타임 그래봤자, 시간이야
언젠가 과거로 가버릴 그런 거다.

웃음과 울음을 멈추지도 못하고
이젠 멈추려는 마음도 지쳤으나

몰라 일단 그냥 해
물론 말이 쉬운 거지만.

(Ep.158)

[들판]

기차 창문을 통해
나는 들판에서 익어가는 농작물들을 볼 수 있었다.

물결치는 들판에 햇살이 스며드니
바다의 윤슬도 그를 주시하겠더라.

시간을 멈춘 순간 덕분에
그 순간 속에서 마음은 평화롭게 휴식을 취하더니,
거세게 요동치며 동시에 은은한 파도의 소리를 낸,
바람을 즐기는 게 아닌가.

기차 창문을 통해
나는 들판에서 성장하는 나 자신을 볼 수 있었다.

(Ep.159)

[나의 전부 같았던 것]

가치를 감히 가늠할 수 없는 보석 하나와 만났었다.
얼마나 함께했나 나는 잊을 수 없지.

참,
붉게도 물들었어.
혈흔이. 그래

참,
묽게도 물들었어.
나에겐. 그때

억겁의 시간 끝에 언젠가
다시 마주할 수 있다면 좋을 텐데

가치를 감히 가늠할 수 없는 보석 하나와 만났었다.
얼마나 함께했나 나는 결코 잊을 수 없지.

(Ep.160)

[그저 끄적 공들임]

그저
 한 자, 한 자 어쩌면 차분히, 어쩌면 급하게도
저술해보았다.
 한 편, 한 편 일제히 쏟아져 나오는 게 아닌지라

끄적, 끄적 언제 즈음 진짜 마침표를 찍을 때가 올지
 한 점, 한 점 사실은 글 속에 찍어도 보고
적어 내렸다.

공들였다. 물론 진심이고 내 오랜 소망이었던지라
 한 주, 한 달 정성껏 글을 빚어 만드는데
들인 시간, 후회 없다.
 한 층, 한 층 내 오랜 소망, 무심한 듯 최선을 다해
임했다.

(Ep.000)

작가의 말

한 단락 한 단락 써 내려가니 말입니다. 새삼, 의무적인 글쓰기를 제외한다면 재미없는 글쓰기는 없다는 생각이 듭니다. 하하.

첫 시작, '추억'을 적어 내렸을 때가 아마 2022년 말에서 2023년 초였던 것으로, 기억하는데 참 시간이란 개념은 지칠 줄 모르는 것 같습니다.

'그저 끄적 공들임'이라는 책에서는 일상에서 등장할 만한 단어와 문장들을 제목으로 쓴, 짧다면 짧은 시와 글귀 모음집, 인데요 이 단어들과 문장들을 통해 어쩌면 반복되는 듯한 하루에 재미와 의미를 부여해보고자 했습니다.

그림 속 캐릭터는 글 이해를 돕고자 그려 넣게 되었

습니다. 캐릭터는 작가의 옛 햄스터 친구와 같은, 작가의 필명과도 같은 이름을 가진 '김꼬물'이라는 벌 캐릭터입니다. 믿기지 않으실 수 있지만 벌 맞습니다. 그런 겁니다. 하하.

책 속 시에는 제가 실제로 겪었던 경험, 상황들과 감정을 많이 녹여 보았습니다. 가장 최근 예로는 어쩌다 보니 편집으로 순간 이동되어 일찍 등장하게 된 'Ep.046 미아'가 있답니다.

목욕하다가, 번뜩 생각이 떠올라 외쳐진 아르키메데스의 유레카가 있지 않습니까. 저 역시 샤워를 하다가도 대뜸 떠오른 말이 있다면 샤워를 마칠 때까지 계속 반복해 기억하거나 곧장 적어 갔던 기억이 남는군요.

한 장, 한 장 써 내려가니 어느새 진짜 마침표를 찍어봅니다.

마침.
미침 아니고요.

정말로

,

,

마침.

그저 끄적 공들임. 작가 김민정(김꼬물)